BU KİTABIN SAHİBİ:

SEV Yayıncılık Eğitim ve Ticaret A.Ş.
Nuhkuyusu Cad., No. 197 Üsküdar İş Merkezi, Kat 3,
34664 Bağlarbaşı, Üsküdar, İstanbul
Tel.: (0216) 474 23 43 · Sertifika No. 12603

Öfkeli Örümcek Rıza

© 2014 SEV Yayıncılık Eğitim ve Ticaret A.Ş.

**Yazan:** Tülin Kozikoğlu
**Resimleyen:** Sedat Girgin
**Yayın Yönetmeni:** Ebru Şenol (2015),
S. Baha Sönmez (2016)
**Editör:** Burcu Ünsal Çeküç
**Kapak Tasarımı:** Recode
**Baskıya Hazırlayan:** Hüseyin Vatan

**Birinci Baskı:** Kasım 2014
**Sekizinci Baskı:** Nisan 2018

ISBN: 978-605-4119-78-3

**Kütüphane Bilgi Kartı (CIP):**
Kozikoğlu, Tülin
Öfkeli Örümcek Rıza
1. Çocuk Edebiyatı 2. Öykü
İstanbul, SEV Yayıncılık, 2018, 28 Sayfa
ISBN: 978-605-4119-78-3

**Baskı:** Ertem Basım Yayın Dağıtım San. Tic. Ltd. Şti
Eskişehir Yolu, 40. km., Başkent OSB 22. Cadde, No. 6 Malıköy, Ankara
Tel.: (0312) 284 18 14 · Sertifika No. 26886

# ÖFKELİ ÖRÜMCEK RIZA

Yazan:

Tülin Kozikoğlu

Resimleyen:

Sedat Girgin

kidz R
REDHOUSE KIDZ
ÇOCUK KİTAPLARI

Merhaba! Benim adım Leyla.
Size bir hikâye anlatacağım,
Beğenirseniz ne âlâ!

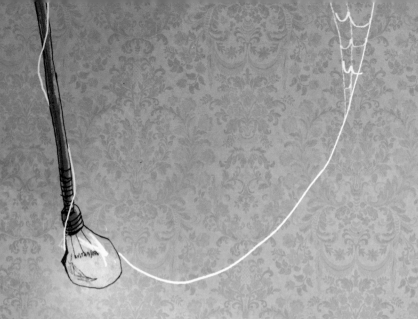

Etrafımda bunca hayvanı görünce,
Hepsini ben toplayıp getirdim sanmayın!
Her birinin burada olması tesadüf eseri:
Sinek pencereyi açık unuttuğum bir gün uçuverdi içeri.
Örümcek ise bir sabah yedide bacadan aşağı indi.
Kedi yılışa yılışa içeri girdi yağmurlu bir günde.
Köpeği kimbilir kim bırakmış arka bahçeme.
Kuşu kardeşim hediye etti, balığı ise uzaklardan bir kuzen.
Fare, kurbağa, kirpi... kurtulamadım gitti.
Tümünü besliyorum mecburen.

Kolay mı sandınız bunca hayvanla aynı evde yaşamayı?
Hele benim gibi yaşınız olduysa seksen altı!
Onları beslemek, yıkamak ve uyutmak işin kolay tarafı.
En zoru tuhaf kişilikleriyle uğraşmak.
Ne de olsa her birinin huyu suyu farklı.

Mesela örümceğim Rıza; bir bilseniz ne kadar da öfkeli!
**"Öfkeli örümcek mi olurmuş?"** demeyin.
Vallahi de öfkeli, billahi de öfkeli!
İnanmazsanız anlatacağım hikâyeye kulak verin.

Geçenlerde sabah kalktığında
  Rıza erkence,
Ördü kendine bir ağ, uğraşıp saatlerce.

Sonrasında çıktı hava almaya.
Döndüğünde ne görsün,
Sinek Feza düşmüş ağına!

Çok kızdı bizim Rıza.
Onca uğraş boşa gitmişti,
Güzelim ağı birbirine girmişti!

Ne yapsın Rıza?
Yeni bir ağ ördü mecburen,
Bu seferki daha şıktı öncekinden.
İşi bitince dinlenmeyi hak etti gerçekten.

Kedi Dila ile Köpek Kaya kovalamaca
oynamaya karar verince,
Heyecandan salonun ortasındaki ağı da
görmeyince...

Rıza kızmasın da ne yapsın?
Tabii ki sinirinden hop oturup hop kalksın!

Rıza'nın ördüğü son ağa da bakın.
Belli ki sinirinden patlaması çok yakın!
Bari bu kez ağın başına bir
   iş gelmese.
Rıza da azıcık yatışıp sakinleşse.

Kuş Sema kafesinden çıkıp
gezinti yapmaya karar verince,

Ne mümkün Rıza'nın
sakin kalması bu evde!

Bu güzelim ağ da bozuldu tabii,
Bizim Rıza yine küplere bindi!

Öylesine kızgın ki Rıza bugün,
Tehlikeli hayaller kuruyor öfkesinin geçmesi için:

"Keşke zehirli bir örümcek olsaydım.
Önüme gelen herkesi ısırıp yaralasaydım.
O zaman belki öfkem geçerdi;
Beni kızdıranlar alırdı dersini!"

Öte yandan, akıllıdır bizim Rıza neyse ki.

Biraz düşününce, görünmez ağlar ördüğünü fark etti.

Aslında kimse onları isteyerek bozmamıştı.

Sorununa başka bir çözüm bulmalıydı.

Gördü renkli boyaları işte tam o sırada,
Hemen karar verdi bir deneme daha yapmaya.

Ama bu keeez...
Başvurdu küçük bir hileye,
Her adımda batırdı ayaklarını
başka bir renge.

Artık Rıza'nın ağlarını görmemek imkânsızdı,
Çünkü salonu gerçek bir sanat eseri
kaplamıştı.

Veee... Rıza'nın öfkesinin yerini
gururlu bir gülümseme almıştı.